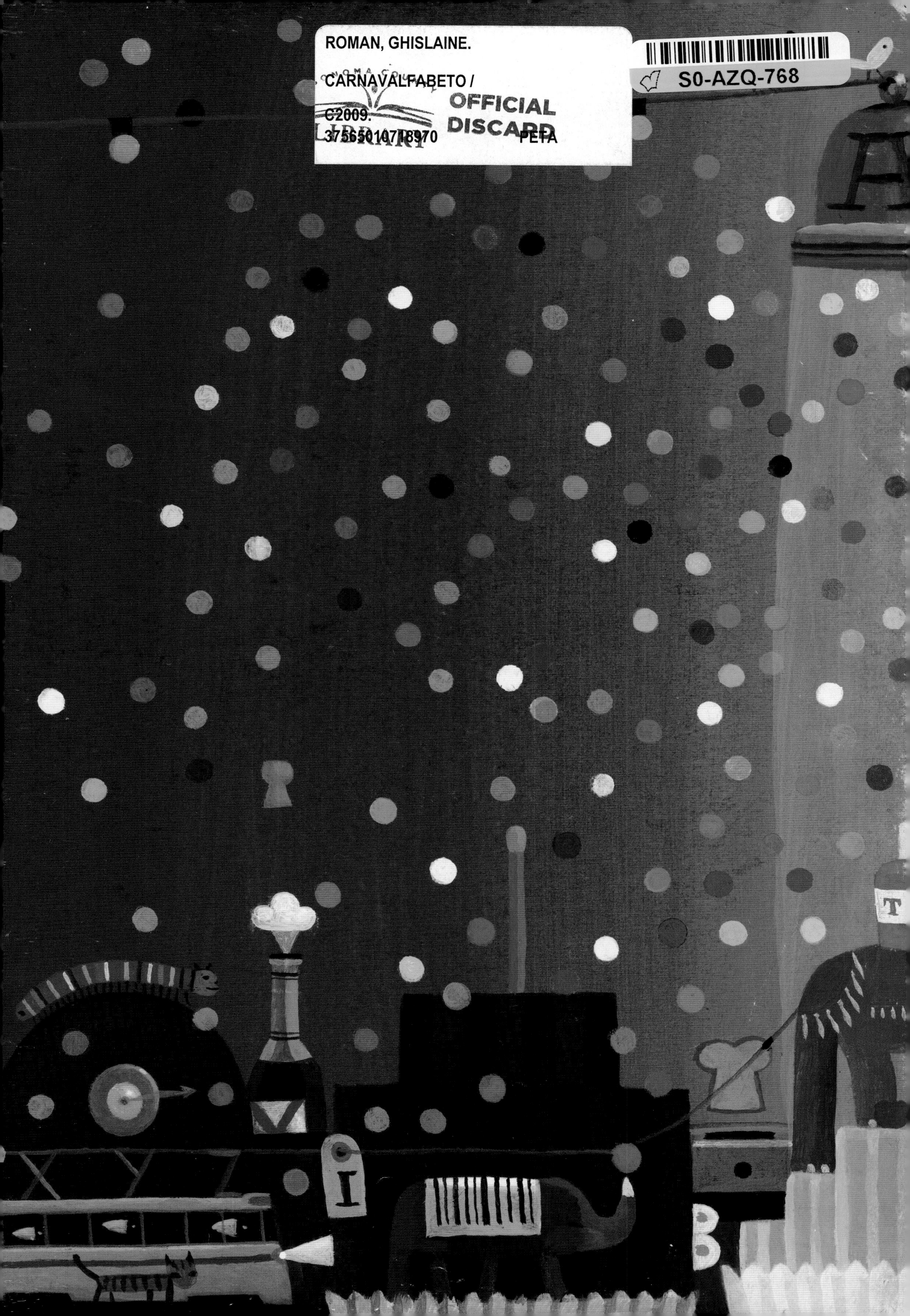

A Thérèse, mi madre, ¡que me enseñó el alfabeto
y la receta de la torta de nuez!
Ghislaine Roman

A mis dos pequeños analfabetos...
Tom Schamp

Ghislaine **R**oman

La **A** abre la marcha riendo a carcajadas.

Bailan las bananas. La **B** suena en la banda.

La **C** del acróbata no se cae.

La **D** empieza la danza.

La **E** grita: "¡Eh, espérenme!".

La **F** suena fuerte en el fa.

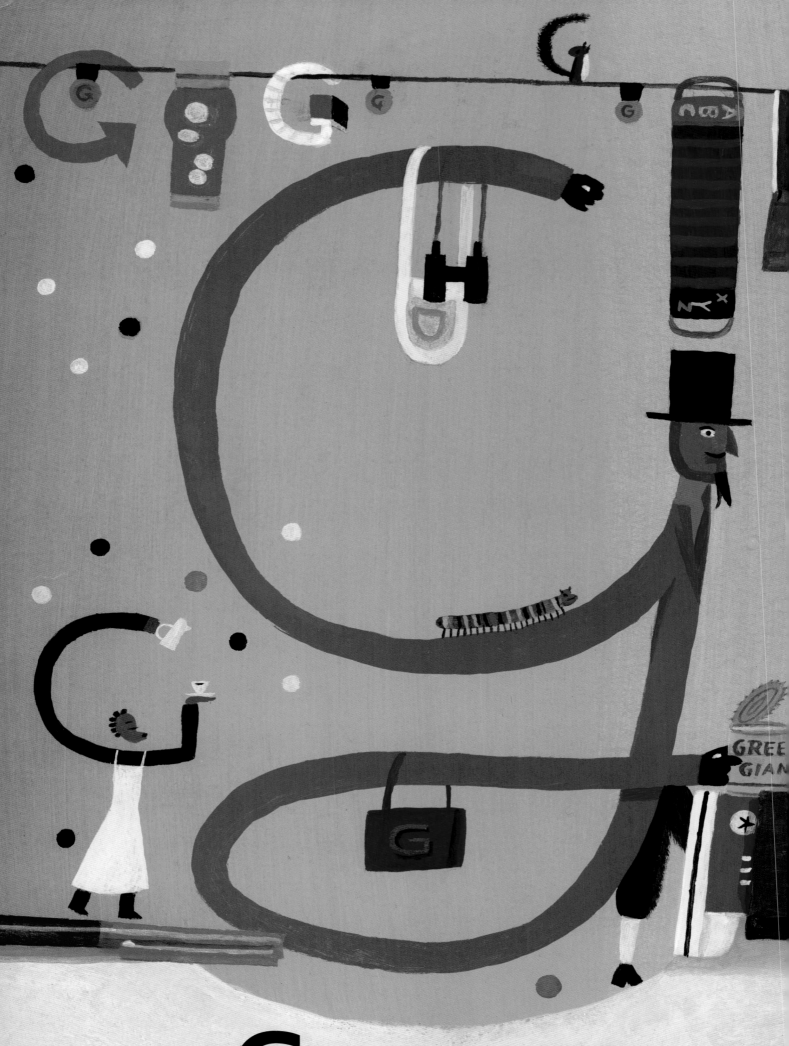

La **G** se agita y gesticula.

La **H** hace burbujas hermosas.

¡Mira! La **i** se sacó el sombrero.

Y la **j** tiene uno hermoso para el jefe.

La **K** pesa un kilo y salta como King Kong.

La **L** tiene alas para volar.

¡Silencio! La **M** se enamoró.

Cuando la **N** y la **Ñ** están juntas, corren como un ñandú.

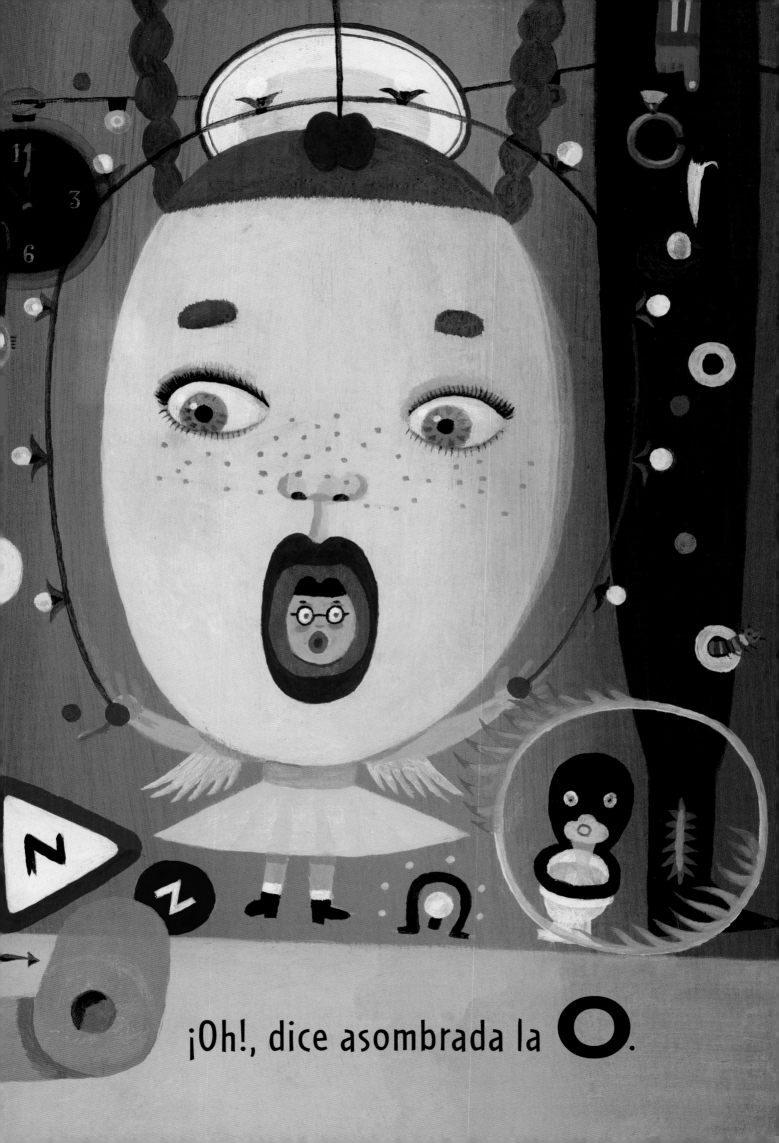

¡Oh!, dice asombrada la O.

Esta **P** suena como un petardo, tropieza y

cae sobre la **Q**, que esconde el queso.

La **R** se da aires de rey.

La **S** se desliza y se sacude para salir.

Rodeado de teteras, el mago chino tiene la T.

La **U** ulula y luce sus plumas de lechuza.

La **V** aplaude a su vecino el navegante.

La **W**, cabeza abajo, busca el *walkie talkie*.

La **X** da examen de saxofón.

La **Y** ya tomó el yogur y saluda.

¡Zas! la **Z** llega al final...

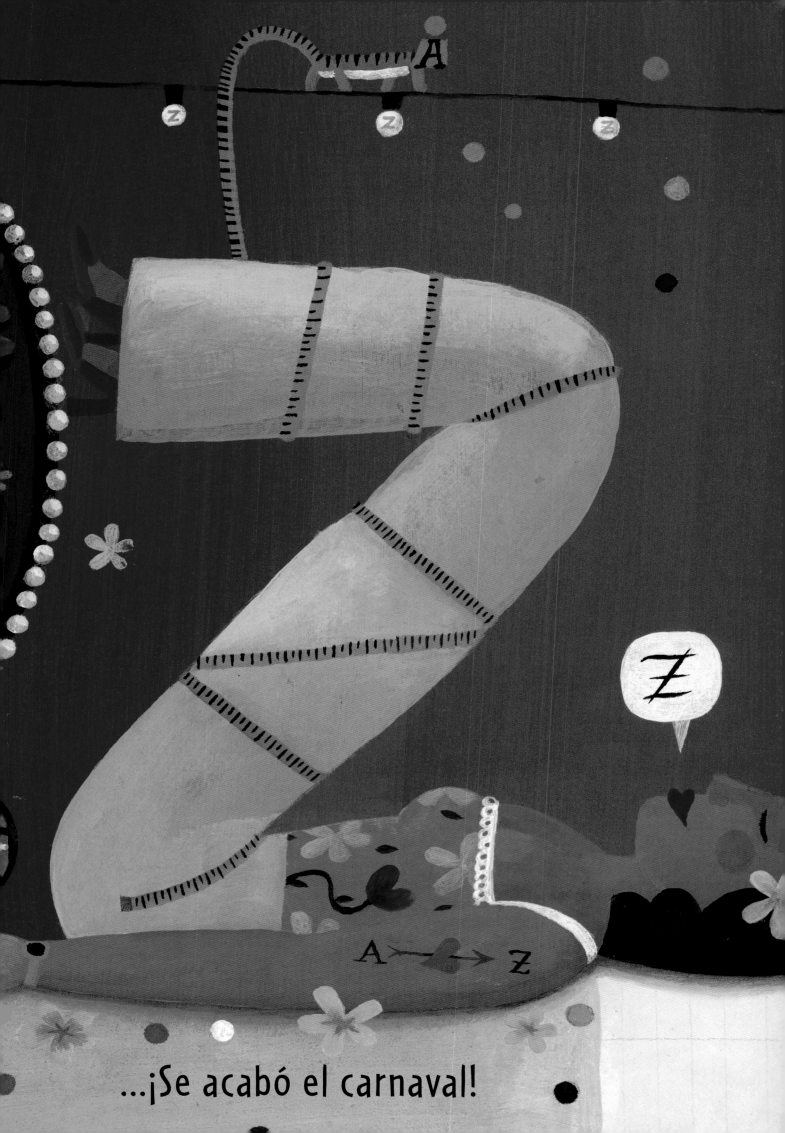

...¡Se acabó el carnaval!

Roman, Ghislaine
Carnavalfabeto / Ghislaine Roman ; ilustrado por Tom Schamp
- 1a ed. - Buenos Aires: Unaluna, 2009.
36 p.: il.; 31,5 x 22 cm.
ISBN: 978-987-1296-63-7 (Argentina)
ISBN: 978-84-937222-6-5 (España)
1. Literatura Infantil francesa. I. Schamp, Tom, ilus. II. Título
CDD 843.928 2

Título original: *Carnavalphabet*
Traducido por: Clara Giménez
ISBN: 978-987-1296-63-7 (Argentina)
ISBN: 978-84-937222-6-5 (España)

Carnavalphabet by G. Roman & T. Schamps © 2007, GLENAT EDITIONS
© Unaluna, 2009
© Editorial Heliasta S.R.L., 2009

Distribuidores exclusivos: Editorial Heliasta S.R.L.
Juncal 3451 (C1425AYT) Buenos Aires, Argentina
Tel.: (54-11) 4804-0472 / 0119 - editorial@unaluna.com.ar / www.unaluna.com.ar

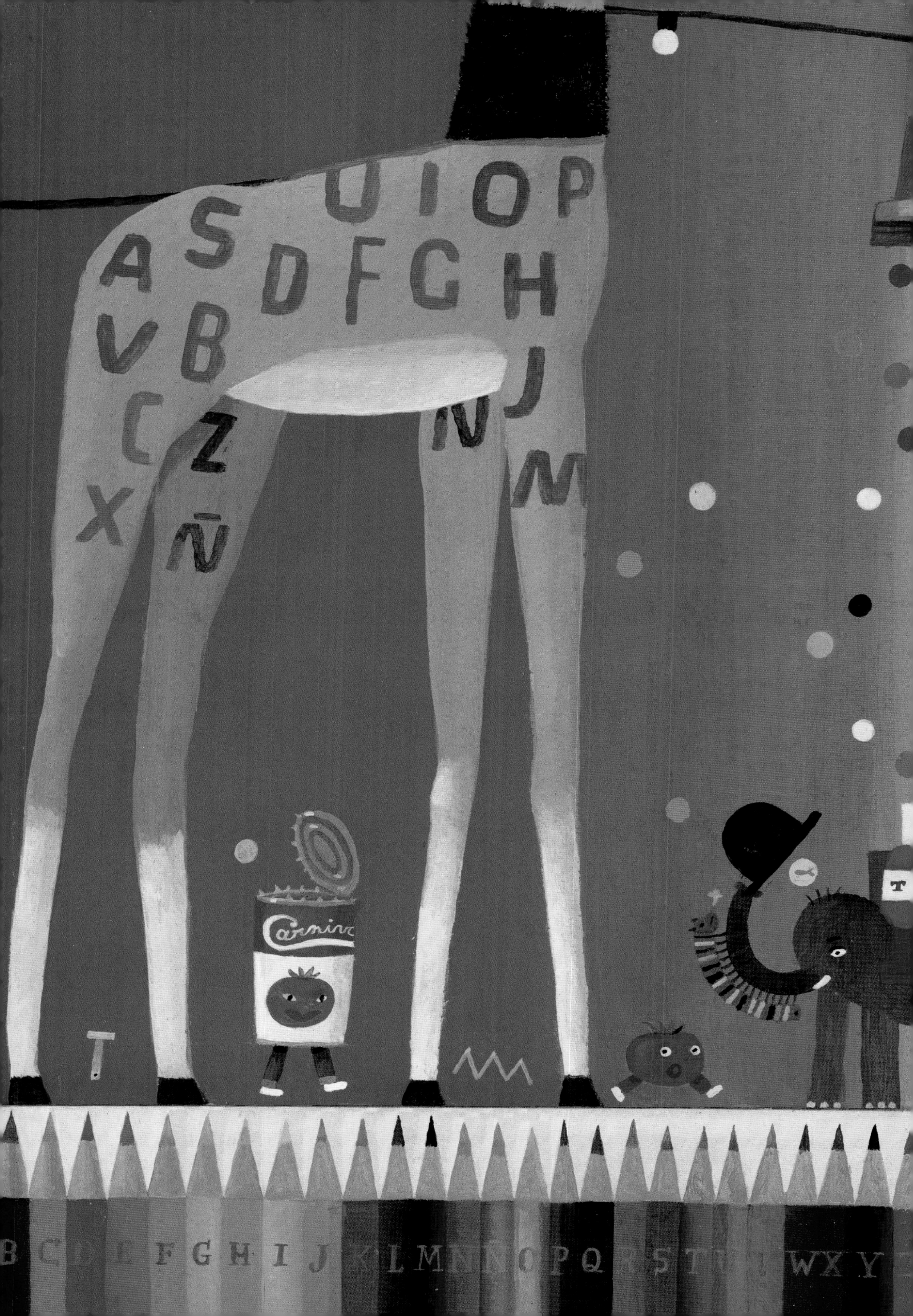

UIOP
ASDFGH
VB
J
C
Z
N
M
X
Ñ